LE GALOP
DU TEMPLIER

Anne-Marie Pol

Collection Plus
dirigée par Françoise Ligier

HURTUBISE

HMH

Données de catalogage avant publication (Canada)

Pol, Anne-Marie

    Le galop du templier

    (Collection Plus)
    Pour enfants.

    ISBN 2-89045-938-1

    I. Titre.

PZ23.P64Ga 1992   j843' .914   C92-096432-X

Directrice de collection: **Françoise Ligier**

Révision:
Jocelyne Dorion
Francine St-Jean

Illustrations:
Caroline Mérola

Maquette de la couverture:
Marie-France Leroux

Éditions Hurtubise HMH
7360, boulevard Newman
Ville LaSalle (Québec)
H8N 1X2
Canada
Téléphone: (514) 364-0323

ISBN2-89045-938-1

Dépôt légal/1er trimestre 1993
Bibliothèque nationale du Québec
Bibliothèque nationale du Canada

Anne-Marie Pol

Née au Maroc, Anne-Marie Pol a vécu une enfance partagée entre le Sénégal, le Congo et la France. Installée en Espagne dans les années 70, elle y travaille comme mannequin.

En 1980 en France, tout en poursuivant une maîtrise en Études théâtrales, elle commence à écrire. Elle découvre, émerveillée, qu'écrire c'est inventer un univers.

Parmi les nombreux textes qu'elle a créés, on peut lire *La Reine de l'île*, *Promenade par temps de guerre*, *Le Sang des étoiles*, *Lola et les loups*, *Tout seul*, *Papillon de papier*, *Hector* et *L'Archange de Chihuahua*.

*U*ne excursion avec toute la classe, quelle chance!

Au coin de la rue, l'autocar attend. Ses feux font des points rouges, dans le petit matin. Autour, les gamins se bousculent pour monter.

Gildas Raffet pense «ça va être chouette!» Avec les autres, il s'engouffre dans le véhicule, s'installe, étend ses longues jambes: il est grand pour ses treize ans.

En retard, Simon Serin arrive au galop. On l'appelle Gaufrette, à cause de son nez pointu «à piquer les gaufrettes», comme on dit!

M. Foulcher, le prof d'histoire, grimpe dans l'autocar.

— On est au complet, dit-il, en route !

Une joie brusque serre le cœur de Gildas. La commanderie des Templiers... Du donjon, on voit la mer... Il y va ! Il y va !

*I*l fait complètement jour. L'autocar est sorti de Paris depuis longtemps. Maintenant, il cahote sur une route pierreuse. Tourné vers ses élèves, M. Foulcher se tient debout à l'avant, à grand-peine. Il est sympa, «le père Foulcher»; dommage qu'il ne perde jamais une occasion de faire la classe! Comme en cet instant, par exemple:

— Puisque nous nous rendons à la commanderie de Beaulieu, QUI peut me dire QUI étaient les Templiers?

Personne ne répond. Une seconde de suspense. Et M. Foulcher pointe l'index:

— À toi, Raffet.

— Ben... C'étaient des moines-soldats qui défendaient, en Terre Sainte, le royaume franc de Jérusalem.

— Bien, Raffet. Et quoi d'autre?

Oh! Gildas en sait des choses... Les images du livre qu'il préfère se télescopent dans sa tête, forment une espèce de puzzle... Mais il dit, platement:

— Ils avaient construit, un peu partout, des manoirs fortifiés où les pèlerins pouvaient trouver asile.

M. Foulcher, la mine épanouie, répète «Bien, Raffet»; mais il n'ajoute plus «Et quoi d'autre?» Alors, Gildas se tait... Il ne dira rien du château mystérieux de Montsalvage, le domaine introuvable des Templiers... On disait que le Saint-Graal y était caché.

Le Saint-Graal, le calice d'émeraude où le sang du Christ a été recueilli après sa mort...

Gildas tourne la tête vers la vitre embuée. Au-delà, de l'autre côté de la route, il y a des prés qui courent jusqu'à la mer. Il se met à rêver...

Sur l'herbe verte les Templiers galopent. Leurs grands manteaux blancs, traversés de la croix rouge, se gonflent de vent. Gildas entend cliqueter les mors, les gourmettes des chevaux dont les sabots font sauter des mottes de terre. Les Templiers remontent à bride abattue vers la commanderie de Beaulieu, là-haut sur la colline.

— Gildas Raffet!

Il sursaute, regarde M. Foulcher avec des yeux ronds.

— Raffet, ça fait trois fois que je t'appelle.

Éclat de rire général. Toutes les têtes se retournent. L'hilarité plisse le long nez de Gaufrette.

— Raffet, dis-nous...

Décidément, quand M. Foulcher tient un bon élève, il ne le lâche pas !

— Dis-nous QUI a démantelé l'ordre du Temple ?

— Le roi Philippe le Bel.

— En quelle année ?

Là, Gildas ne sait pas. Et Gaufrette pousse un hululement moqueur que d'autres imitent: « Ououh ! »

— Vos gueules ! rugit Gildas.

M. Foulcher s'écrie:

— Je t'en prie, Raffet.

Gildas se ratatine dans son coin. Et le prof d'histoire désigne Gaufrette.

— Tiens, Serin, puisque tu es si malin, dis-nous la date de la chute du Temple.

Serin rougit jusqu'à la pointe du nez. Et M. Foulcher tonitrue:

— En l'an 1307, bande d'ignares! Tous les Templiers ont été arrêtés à l'aube du 13 octobre 1307.

L'autocar amorce une montée, M. Foulcher trébuche et évite une chute en se rattrapant comme il peut. Il aboie:

— Et pourquoi le roi Philippe le Bel les a-t-il fait arrêter? Gaufrette gesticule:

— Pour leur voler leurs sous, monsieur.

— Bien.

Alors, Gildas pense: «Les idiots... Comme s'il n'y avait que l'argent, dans la vie! Ce que voulait le roi Philippe, c'était le calice d'émeraude, c'était Montsalvage, le repaire secret...»

Gildas l'a lu dans *Les Mystères des Templiers*. Et il sait que c'est vrai. Mais il ne le racontera pas.

LE SAINT-GRAAL

MONTSALVAGE

Il répète ces noms mystérieux, à mi-voix.

*P*oussif, l'autocar souffle pendant quelques kilomètres avant de s'arrêter, en un hoquet, au pied de la colline. Les gamins se bousculent, les voix s'entrecroisent:

— Monsieur, c'est ça la commanderie?

— Oui, c'est Beaulieu...

Des ruines dévorées par la broussaille, un donjon écroulé, planté sur la butte, des murs d'enceinte éboulés...

— Que c'est beau... murmure Gildas.

Et Gaufrette s'écrie:

— Ben... Quel tas de cailloux!

— Pauvre taré! dit Gildas.

— Quoi?

Gaufrette, écarlate, se plante devant Gildas:

— Répète un peu, pour voir!

— Taré. Tu n'es qu'un taré!

Simon Serin grimace:

— Et toi, un lèche-bottes! Fallait t'entendre, avec tes Templiers! Lèche-bottes!

Paf! Un coup de poing en plein nez coupe le sifflet de Gaufrette qui râle un «Aaaah!» et tombe assis dans l'herbe. M. Foulcher attrape Gildas par le bras:

— Enfin, tu es fou, Raffet?

Tout le monde fait cercle, même le chauffeur de l'autocar. Une aubergine sanguinolente enfle, de minute en minute, sur la face de Serin. M. Foulcher sort de sa poche un mouchoir et essuie le nez de Gaufrette :

— Ça ne se passera pas comme ça... Mon père...

— On s'en fout de ton père !

— Raffet, ça suffit !

Rouge de colère, M. Foulcher ordonne :

— Reste dans ton coin, Raffet, ça vaudra mieux !

— Avec plaisir ! riposte Gildas.

Et il part en courant, droit devant lui. Vers le donjon.

Comme s'il avait toute la classe à ses trousses, le prof en tête, Gildas court à perdre haleine. Le froid lui pince les oreilles, de petites pierres roulent sous ses semelles, il trébuche et reprend sa course, se faufile entre les taillis, s'égratigne les mains aux ronces. Enfin...

— Beaulieu... dit-il tout bas.

Il est au pied du donjon... ou ce qu'il en reste, c'est-à-dire une muraille béante qui s'ouvre sur un escalier à vis qui grimpe vers le ciel.

En s'écorchant les paumes, Gildas gravit les moellons écroulés devant la fissure, et saute sur la première marche de l'escalier. Il retient un cri de triomphe, se retourne vers le groupe qui, à pas lents, a commencé l'ascension de la colline.

Les mains en porte-voix, Gildas appelle:

— Oh! Oh! Gaufrette !

Il éclate de rire en voyant de loin son ennemi lui montrer le poing, puis il se glisse dans l'escalier. Quel silence, soudain! Le cœur de Gildas bat plus vite, il ne sait pas pourquoi... Il monte les marches, une à une. Il retient son souffle.

À mi-hauteur, le donjon semble encore solide. Les murs épais se referment presque sur l'escalier étroit. Au-dessus, il y a un bout de ciel pâle. Gildas s'appuie au mur un instant. Et il ferme les yeux. Il a une drôle d'impression... comme si, tout à coup, le monde qu'il connaît, le monde habituel n'existait plus... Parce qu'il est arrivé AILLEURS.

Mais où?

Alors, il entend le galop d'un cheval. Il martèle la colline, vibre dans les murs du donjon, résonne, étouffé, tout autour de Gildas. Et brusquement, il s'arrête.

Gildas ouvre les yeux, descend deux marches, regarde par la fente du mur: sur la colline, il n'y a aucun cheval. Rien que les élèves de sa classe, par-ci, par-là, et M. Foulcher qui pérore, le doigt levé.

On dirait qu'ils n'ont rien entendu. Gildas s'apprête à crier: «M. Foulcher!», mais il se retient. D'abord, le prof l'a mis en quarantaine, ensuite...

— Tiens, tiens...

Il vient d'apercevoir Gaufrette. Courbé sur le sol, il fait provision de cailloux dont il remplit ses poches...

— Il m'attend, le faux-jeton!

Simon Serin jette, à droite, à gauche, des coups d'œil furtifs.

— Hé Gaufrette! appelle Gildas.

L'autre se redresse, la main fermée sur un caillou. Gildas hurle à tue-tête:

— Attrape-moi, taré!

Gildas dévale les marches, fait irruption dehors, saute sur les moellons empilés, disparaît derrière eux... Au pied du donjon, entre les murs et les éboulis, court un étroit chemin : il s'y faufile.

— Je t'aurai, Raffet! crie Gaufrette.

— Tu parles!

Derrière le donjon s'étend une esplanade où des colonnes brisées se chevauchent, parmi les ronces.

— Qu'est-ce que c'était, AVANT? murmure Gildas.

Il a complètement oublié Gaufrette. Il s'accroupit pour suivre, de la main, le dessin des dalles, sous la mousse. Sur une pierre d'autel renversée, un oiseau est perché. Et là, contre un pan de mur... Gildas se précipite :

— Un gisant...

C'est un Templier taillé dans la pierre grise. Les mains jointes, il est allongé dans son costume de guerre depuis des siècles.

Son nom est gravé, et malgré la pluie qui a élargi et fendillé les lettres, Gildas réussit à déchiffrer:

— Ci-gît Frère Gildas...

Et il reste immobile, les yeux écarquillés: le galop arrive, du tréfonds de la terre. Il se rapproche. Il retentit si près que le gisant en tremble, imperceptiblement.

Alors, d'un geste qu'il ne peut maîtriser, Gildas appuie la paume sur la poitrine du gisant. Et il retient un cri: le cœur du gisant bat. À coups sourds.

— Raffet!

Un caillou vient frapper le Templier en pleine figure. Gildas fait volte-face:

— Gaufrette!

Une grêle de gravier le flagelle. Le dos rond, les mains en avant,

Gildas se jette vers Simon Serin, caché à l'abri d'une colonne:

— Tu me le paieras!

Une pierre l'atteint au front, il trébuche, s'affale sur une dalle descellée. Gildas pousse un cri: la dalle bascule. Puis, il ne sent plus rien.

*L*a tête de Gildas pèse si lourd, elle lui fait si mal qu'il peut à peine ouvrir les yeux. Il tâtonne: il est recroquevillé sur une marche de terre battue. Il lève le bras et sent la masse froide de la dalle:

— Je suis enfermé sous terre!

La terreur lui coupe le souffle. Il ne peut même pas crier, ni bouger. Il a peur.

Combien de temps reste-t-il ainsi? Trente secondes ou deux heures? Soudain, il sursaute de tous ses membres. ON l'a frôlé. Il se redresse. Son cœur bat à éclater. Et, dans la nuit, il voit étinceler des yeux pâles. Gildas est tellement soulagé qu'il est près de pleurer:

— Un chat...

Donc, on peut entrer et sortir de ce trou. De crainte d'effrayer le chat (si l'animal lui échappe, que deviendra-t-il?), Gildas n'ose plus remuer. Il regarde fixement les yeux phosphorescents.

Pourtant... Il faut bien attraper ce chat, non?

Avec précaution, Gildas essaie de se relever... Et les yeux s'éteignent d'un coup, comme deux bougies qu'on souffle. Un pas léger, presque imperceptible, s'éloigne...

— Chat!

Mais les chats ne viennent jamais quand on les appelle. Gildas serre les dents:

— Je dois le retrouver.

Et il appuie les mains sur un mur grossier que boursouflent des racines. Du pied, il cherche le chemin devant lui: une marche, une autre... Gildas descend un escalier. Plus il descend, plus ça sent la boue, le champignon.

Après la dernière marche, il y a du sable. En suivant toujours le mur, à deux mains, Gildas comprend qu'il se trouve dans une espèce de boyau.

— Un souterrain...

Alors, semblable à un cœur battant de toutes ses forces, le galop du

cheval invisible emplit le souterrain. Gildas s'aplatit contre le mur. Le cheval au galop approche. Il passe tout près, si près que Gildas reçoit dans les yeux, sur les lèvres, un peu du sable que soulèvent les sabots... Mais il ne voit rien. Rien.

Le cheval s'enfuit... Il s'engloutit dans les profondeurs de la terre. Lorsqu'il est passé... deux yeux brillent, face à ceux de Gildas.

— Chat!

Il doit être perché sur une saillie du mur à la hauteur de Gildas. C'est le moment ou jamais! Gildas bondit, les mains ouvertes... Mais elles ne se referment pas sur la fourrure d'un chat... Ses mains dérapent sur la soie d'une chemise, s'agrippent à une longue tresse.

Gildas pousse un cri.

Le chat n'est pas un chat! Le chat est une fille.

*L*a respiration coupée, Gildas ne peut dire un mot. Mais il serre les doigts sur la tresse, aussi fort qu'il peut. Non! La fille-chat ne lui échappera pas! Elle n'essaie même pas, d'ailleurs. Elle ne bouge pas. Dans le silence, Gildas entend son souffle léger, retenu...

Et soudain, elle dit:

— Viens.

Qu'est-ce qu'elle lui veut? Il n'est pas très rassuré... mais, accroché à sa natte, il suit la fille-chat qui s'enfonce dans le souterrain. Il n'a pas le choix, après tout...

Soudain, il prend son courage à deux mains et balbutie:

— Où on va, comme ça?

Elle ne répond pas. Elle marche plus vite. Bientôt, tout au fond des ténèbres, apparaît une lueur vague:

— C'est... dehors?

La fille-chat reste muette. Elle entraîne Gildas en direction de la lueur et...

— Oh!

Ils sont au seuil d'une immense salle ronde, creusée au cœur de rochers si lumineux, si transparents que l'on dirait du cristal. Et, dans cette clarté lunaire, Gildas voit la fille-chat qui le regarde fixement de ses yeux translucides. Elle porte une robe pourpre, dépassant de sa chemise serrée à la taille par une cordelière. Ses tresses sont noires, comme des anguilles luisantes...

La fille-chat sourit:

— Bienvenue, écuyer...

— Je ne suis pas écuyer.

La fille-chat ne l'écoute pas:

— ...tu es ici à Montsalvage.

— Mais...

Et Gildas se passe la main sur le front, comme pour remettre ses idées en place:

— Non! On est à Beaulieu!

— Ne te fie pas aux apparences, écuyer... Ici, c'est Montsalvage.

Alors, parce qu'il comprend tout à coup, quelque chose de glacé et de brûlant à la fois passe dans les veines de Gildas. MONTSALVAGE!

— Ce n'est pas possible... Pas possible...

Lui, Gildas Raffet, il a découvert Montsalvage... Sans le vouloir, mais il l'a découvert! Dire que les chevaliers, pendant des siècles, ont cherché partout Montsalvage... Ils l'ont

cherché en Palestine, en Espagne...
Ils n'ont jamais deviné que Montsalvage s'étendait dans les entrailles de
la terre, sous les sabots de leurs
chevaux.

Et Gildas tressaille: une vibration
saccadée fait trembler la salle de
cristal:

— Le cheval au galop...

Puis il se met à crier:

— Où est-il? Où est-il?

— Chut...

La fille-chat pose la main sur le
bras de Gildas. Il sent des griffes
délicates lui effleurer la peau:

— Viens.

Ils se faufilent entre les pierres,
grimpent un escalier creusé dans la
roche, arrivent sur un promontoire.
Sous un ciel de pierre, un grand lac
vient clapoter contre la muraille, et

va mourir très loin, de l'autre côté, sur la rive d'une plaine noire.

La fille-chat chuchote :

— Regarde...

Sur la rive, là-bas, un grand destrier blanc galope, sa crinière immaculée tordue en tous sens. Il emporte un cavalier vêtu de fer. Sa tête est emprisonnée par le heaume jusqu'aux épaules ; jeté sur son haubert, un manteau flotte, comme un étendard. Un manteau blanc, croisé de rouge. Les oreilles de Gildas bourdonnent. Il murmure :

— Un Templier.

— Le dernier Templier au monde.

Et la fille-chat ajoute, d'une voix rêveuse :

— Sans trêve, sans repos, il galope dans les plaines souterraines, c'est le gardien de Montsalvage...

Gildas a les jambes en coton, ses paumes sont pleines de sueur... Le gardien de Montsalvage... Cela veut dire:

— Le Saint-Graal...

Tout à coup, son cœur bat à coups assourdissants. Et la phrase lue, relue, lui revient tout entière: «Le Saint-Graal, le vase d'émeraude où le sang du Christ a été recueilli après sa mort, est le but impossible des chevaliers, car il donne l'immortalité à qui s'en empare...»

Il regarde la fille-chat:

— Amène-moi au Templier!

— Tu veux qu'il te tue?

Alors (sent-il une présence étrangère?) le Templier tourne vers eux sa tête emprisonnée de fer. Dans les fentes de son heaume, ses yeux flamboient, comme de la braise. Gildas s'aplatit, au ras des pierres.

Le Templier éperonne sa monture, disparaît dans la nuit de la terre.

— Pourquoi? demande Gildas, pourquoi va-t-il me tuer s'il me voit?

La fille-chat répond:

— Qui entre à Montsalvage y meurt... ou y demeure.

Il y a un long silence. Gildas est tout glacé. Enfin, il s'écrie:

— Non!

Et il regarde autour de lui pour trouver une fissure dans la roche, un soupirail, un trou quelconque par où s'échapper:

— Ne cherche pas... dit la fille-chat.

Elle a un drôle de sourire. L'affolement s'empare de Gildas. Il bondit vers les marches..., mais il n'y a plus de marches. Il est entouré par l'amoncellement des roches lumineuses.

— Tu vois...

La fille-chat soupire :

— ...Et tu ne me croyais pas.

Elle hausse les épaules :

— Moi aussi, j'étais comme toi, au début... Et puis, je m'y suis faite.

Leurs regards se croisent. Alors, Gildas se précipite, vers elle, la saisit par le bras :

— Toi... que fais-tu ici ?

— Je suis la servante du Templier...

Elle le prend par la main :

— Viens... dit-elle pour la troisième fois.

*U*ne immense fatigue écrase Gildas. Ils montent et descendent des marches inégales, puis arrivent dans une espèce de grotte qui surplombe la salle ronde.

— J'ai soif...

La fille-chat hoche la tête:

— Ceux qui gardent Montsalvage n'ont jamais ni faim ni soif.

Soudain, elle s'échappe en quelques bonds. Gildas s'assoit par terre, appuie sa tête à la paroi. Une soudaine envie de pleurer lui brûle les yeux.

Comme il a rêvé sur les belles images! Comme il a rêvé du château secret de Montsalvage! Et du vase d'émeraude appelé le Saint-Graal...

Maintenant, il touche son rêve du doigt. Et il en a peur.

La fille-chat revient, les mains en conque. L'eau ruisselle entre ses doigts. Gildas boit, jusqu'à la dernière goutte. Et, peut-être parce

qu'elle a pitié de lui, la fille-chat appuie ses paumes humides contre le visage de Gildas. Il ferme les yeux. Et elle parle tout bas:

— On a passé la nuit dans la salle commune de Beaulieu, avec tous les pèlerins... À l'aube, les soldats sont venus pour arrêter les frères du Temple... Ils ont égorgé le bétail, brutalisé les pèlerins, enchaîné les frères à leurs montures... J'avais si peur... Je ne trouvais plus ma mère... Je me suis cachée dans la chapelle. Tout à coup, un frère est entré, à cheval, vêtu en guerrier. Il s'est enfoncé dans la terre. Et je l'ai suivi... Et je l'ai suivi...

Sa voix est douce. Elle berce Gildas. Les images s'enchevêtrent dans sa tête. La fille-chat, Montsalvage, le Saint-Graal... Le galop... Le galop du Templier...

Il s'endort.

Un chant guttural... Il le réveille. Gildas reste immobile. Il est tout seul, allongé contre les rochers... Un chant guttural... Celui d'un homme.

— Le Templier!

Alors, Gildas oublie le danger.

— Le Templier! Je dois le voir!

Gildas essaie de se lever, mais son corps pèse si lourd qu'il remue à peine. Un cri s'étrangle dans sa gorge. Il se renverse à plat ventre. Le Templier chante seul, comme il chante seul depuis des siècles, dans la salle ronde creusée au cœur de la terre. Gildas écoute: ce sont des mots en latin. Gildas parvient à ramper jusqu'au bord de la grotte, au-dessus de la salle...

Il sait que s'il rencontre le regard rouge de celui qui garde le Graal il mourra. Mais il regarde, pourtant. Il regarde à en perdre la vue.

Le Templier est de dos, age-
nouillé. Gildas ne voit de lui qu'une
nuque rasée, une tunique blanche
serrée à la taille par une large cour-
roie noire. Son heaume est jeté sur
le sol, avec son épée et son haubert.

Ainsi, le moine-guerrier aban-
donne sa tenue de guerre lorsqu'il
prie Dieu. Ou...

— Lorsqu'il va adorer le Saint-
Graal! comprend Gildas.

Lorsqu'il va le sortir de sa cachette!

Des cloches lui tonnent aux
oreilles, toute sa peau brûle. Le
Saint-Graal... L'insaisissable trésor...
Il est là, tout près. Et il va le voir,
lui, Gildas Raffet!

Le Templier se relève, fait un pas
en avant... Quand la fille-chat le
frôle, Gildas manque de hurler. Elle
souffle:

— Ne regarde pas.

Le dos du Templier est très large. Il cache la vue du tabernacle creusé dans la roche lumineuse. Le Templier se signe.

— Ne regarde pas.

Le Templier tend la main. Gildas voit pivoter une petite porte, dans le rocher.

— Ne regarde pas.

Et, brusquement, la fille-chat met ses mains sur les yeux de Gildas. Il se débat sans bruit, essayant d'écarter les doigts qui l'aveuglent, mais la fille-chat tient bon. Des points lumineux éclatent sous les paupières de Gildas; les ongles de la fille-chat s'y enfoncent.

Puis elle le lâche... Haletant, il écarquille les yeux: le Templier a disparu. Soudain, le galop du cheval ébranle la salle souterraine, décroît, disparaît...

Comme un fou, Gildas se relève, dévale les marches, vient se cogner aux murs de la salle, s'y écrasant les mains, en tous sens. La fille-chat va jusqu'à lui, à pas lents:

— Tu ne trouveras jamais. Seul le frère connaît la cachette.

— Pourquoi m'as-tu empêché...

Gildas ne peut achever sa phrase: il a une boule dans la gorge. La fille-chat le regarde drôlement. Il bredouille:

— Pourquoi?

— Parce que je t'aime bien, écuyer.

Il répond, méchamment:

— Et alors?

Les yeux de la fille-chat étincellent, immobiles:

— Alors, je veux t'aider.

— Comment?

En cet instant, Gildas en veut à la fille-chat. Il hausse les épaules:

— Tu parles! Tu as dit toi-même: qui entre à Montsalvage y meurt... ou y demeure.

— Oui...

Les yeux mi-clos, la fille-chat réfléchit:

« Mais tout n'est pas perdu puisque tu n'as pas vu le Saint-Graal. »

Gildas lui attrape le poignet:

— Et toi? Pourquoi ne t'es-tu pas échappée si tu connais la sortie?

Elle répond, à voix basse:

— Parce que moi, JE L'AI VU.

— Et après?

— Le Saint-Graal rend immortel. Mais qui l'a vu ne peut plus sortir d'ici... S'il sort, son corps tombe en poussière.

Gildas pâlit, mais la fille-chat a un petit rire:

— Moi aussi, je me suis cachée pour LE voir, quand le Templier...

Puis, elle se tait. Et dans ses yeux, ses yeux de bête, il y a des larmes.

— Oh! Ne pleure pas...

D'un geste involontaire, Gildas caresse la tête sombre de la fille-chat qui ferme les yeux... Et le galop du Templier fait frémir la terre, au loin... Gildas crie:

— Le voilà!

Le Templier et son cheval au galop se rapprochent...

— Il va te tuer! Vite! Vite!

Et la fille-chat saisit Gildas par la main, l'entraîne en courant. Le martèlement des sabots se rapproche, devient assourdissant, roule comme le tonnerre.

— Écuyer... murmure la fille-chat.

Et tout devient noir.

D'abord, Gildas voit une broussaille emmêlée, ensuite il se rend compte qu'il y est couché, à plat ventre. Il a mal à la tête. Il se remet debout avec peine, fait un pas, deux pas. Il cligne des yeux, dans la lumière.

— Ah! Te voilà, Raffet!

C'est M. Foulcher, au détour d'un pan de mur, suivi de son troupeau où se planque Gaufrette. Mais Gildas ne le regarde même pas. M. Foulcher pousse un cri:

— Qu'as-tu aux paupières, Raffet? Tu t'es écorché dans les ronces?

Gildas a un brusque sourire.

Alors, tout bas... tout bas... puis de plus en plus fort, il entend résonner le galop du Templier.

Le plus de Plus

Réalisation : Astrid Berrier

*Une idée de Jean-Bernard Jobin
et Alfred Ouellet*

AVANT LA LECTURE

Aimez-vous l'histoire ?

En histoire, il y a de nombreux événements, de nombreux personnages et des dates importantes. Essayez de retracer le fil de l'histoire.

1. Richard Cœur de Lion était :
   a) roi de France.
   b) roi d'Angleterre.
   c) roi d'Espagne.

2. Le roi de France qui s'est débarrassé des Templiers se nomme :
   a) Philippe le Bel.
   b) Saint-Louis.
   c) Louis XI.

3. Les Templiers sont :
   a) des moines.
   b) des soldats.
   c) des moines-soldats.

4. Les Templiers ont été arrêtés en :
   a) 1066.
   b) 1430.
   c) 1307.

5. Les croisades étaient:

   a) des expéditions militaires.

   b) des jeux.

   c) des sectes.

6. Les croisés sont allés jusqu'à:

   a) Bagdad.

   b) Jérusalem.

   c) Téhéran.

7. On les appelle les croisés parce qu'ils:

   a) cherchent une croix sacrée.

   b) portent une croix sur leurs vêtements.

   c) se reconnaissent entre eux grâce à une croix sur leur cheval.

8. Philippe Auguste et Richard Cœur de Lion ont participé à:

   a) la 1re croisade.

   b) la 3e croisade.

   c) la 8e croisade.

Les croisades

Les croisades sont des expéditions entreprises entre le XIe siècle et le XIIIe siècle par l'Europe chrétienne pour reprendre le Saint-Sépulcre aux musulmans. Le Saint-Sépulcre est un édifice construit au IVe siècle à Jérusalem. Il contient le tombeau du Christ et est situé sur les lieux de la crucifixion. Les croisés voulaient délivrer Jérusalem et gagner le paradis. Ils portaient une croix sur leurs vêtements, d'où leur nom de croisés.

Il y a eu huit croisades; les chrétiens d'Europe sont allés combattre dans des régions qui sont aujourd'hui appelées la Syrie, le Liban et Israël.

Voici, pour vous donner une idée, une carte qui montre le chemin qu'ont suivi les premiers croisés.

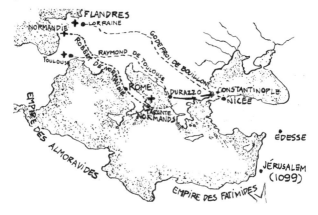

Feriez-vous un bon croisé et un bon Templier*?

Les Templiers sont «des moines-soldats», nous dit le texte. Ils font partie d'un ordre dont les membres se proposaient d'adorer le Christ et de verser leur sang pour défendre l'Église. Ils avaient beaucoup de pouvoir et de richesses en France, comme ailleurs en Europe.

Au départ, les Templiers avaient pour but de protéger les faibles, les pèlerins qui se rendaient sur les lieux saints qui étaient attaqués et volés. L'ordre des Templiers était donc une sorte de «police des routes». C'étaient des croisés dévoués et désintéressés.

Répondez par vrai ou faux.

1. Un bon croisé veut:

   a) combattre l'islam.

   b) obtenir la rémission de ses péchés.

---

* voir : *La Vie quotidienne des Templiers au XIIIe siècle* de G. Bordonove, Hachette, 1975.

c) être honoré.

d) acquérir des biens matériels subtilisés aux infidèles.

e) échapper aux gens à qui il doit de l'argent.

f) partir vers l'inconnu et voyager.

g) faire des sacrifices pendant le voyage pour se rendre en Terre sainte.

2. Pour être un bon Templier, il faut:

a) vouloir défendre les pèlerins contre les voleurs et les assassins.

b) aimer la discipline.

c) aimer la modestie.

d) parler peu, car trop parler est un péché.

e) aimer les chevaux.

f) aimer prier.

g) jeûner le vendredi.

Le destrier mystérieux

Trouvez le nom des éléments corres-
pondant aux flèches.

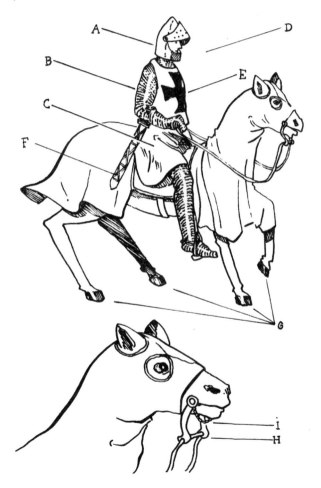

Chassez l'intrus

Voici une liste de mots. Dans chaque série de quatre mots, un seul n'est pas à sa place, trouvez lequel.

Ex.: **un pèlerin** – les cheveux – frisés – courts

a) la lumière – une lueur – le jour – les ténèbres

b) le destrier – le cheval – le poulain – la poule

c) une pierre – un caillou – la braise – une roche

d) l'église – la chapelle – la cathédrale – le donjon

e) un pied – un bras – une tresse – une main

f) un car – un gisant – des voyageurs – une excursion

AU FIL DE LA LECTURE

Huit questions

Après avoir lu l'histoire, répondez aux questions suivantes.

1. Qui est Gaufrette?
   a) un élève;
   b) un ami de Gildas;
   c) un ami du professeur.

2. Selon Gildas, pourquoi le roi a-t-il fait arrêter les Templiers?
   a) Parce qu'ils étaient riches.
   b) Parce que le roi voulait le Saint-Graal.
   c) Parce que le roi était jaloux de leur pouvoir.

3. Poursuivi par Gaufrette, qu'est-ce que Gildas découvre?
   a) un gisant;
   b) le vase du Saint-Graal;
   c) un passage secret.

4. Une fois sous terre, où se retrouve Gildas selon la fille-chat?
   a) à Beaulieu;
   b) en Palestine;
   c) à Montsalvage.

5. Qui est le cavalier vêtu de fer?

   a) le dernier Templier;

   b) un pèlerin;

   c) le domestique de la jeune fille.

6. Quel est le pouvoir du Saint-Graal?

   a) Il donne l'immortalité.

   b) Il permet d'être riche.

   c) Il tue.

7. Lors de l'arrestation des Templiers, que s'est-il passé?

   a) Les pèlerins n'ont pas été battus.

   b) La fille-chat s'est cachée dans la chapelle.

   c) Les pèlerins sont partis avec le bétail vivant.

8. Pourquoi la jeune fille ne peut-elle pas sortir de Montsalvage?

   a) Parce qu'elle a vu le Saint-Graal.

   b) Parce que le Templier le lui a interdit.

   c) Parce qu'elle n'a plus ses parents.

Êtes-vous observateur ?

Voici la description de plusieurs personnages ou objets de l'histoire. Un élément faux s'est glissé dans la description. Trouvez lequel.

1. La fille-chat	
a) Elle porte une robe pourpre.	d) Elle a les cheveux blonds.
b) Elle porte de la soie.	e) Elle porte une cordelière.
c) Elle porte une chemise.	

2. Le cavalier sur le destrier	
a) Il est vêtu de fer.	d) Il porte un heaume.
b) Il porte un manteau.	e) Il porte un haubert.
c) Il porte un étendard.	

3. Le Saint-Graal	
a) C'est un vase.	d) C'est un vase d'émeraude.
b) Il rend immortel.	
c) Il est introuvable.	e) Il contient le sang du Christ.

4. Le Templier qui prie	
a) Il porte son épée.	d) Il a une courroie autour de la taille.
b) Il porte une tunique blanche.	
c) Il a la nuque rasée.	e) Il ne porte rien, ni son heaume ni son étendard.

Mot mystère

À l'aide des définitions ci-dessous, trouvez les mots à placer horizontalement dans la grille. Vous pourrez ensuite découvrir dans la colonne encadrée le mot mystère.

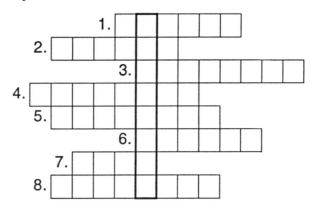

1. C'est à cause de cette statue qui représente un mort étendu que commencent toutes les aventures de Gildas.

2. Le Templier en porte un et celui-ci enveloppe toute sa tête et son visage.

3. Il y en a une célèbre en Chine.

4. Les Templiers en portent une autour de la taille.

5. C'est un synonyme de cheval de bataille.

6. Les héros de cette histoire appartiennent à cet ordre.

7. Le Saint-Graal en était un.

8. Gildas parvient à voir celui qui est sur le destrier blanc.

Le MOT MYSTÈRE : celui ou celle qui voit le Saint-Graal le devient.

Montsalvage et les réponses de l'imagination

Montsalvage est un endroit mystérieux. Personne ne sait si ce lieu a vraiment existé. Quelles réponses *Le Galop du Templier* suggère-t-il aux questions des historiens ?

1. Où se trouve Montsalvage ?
   a) en Palestine ;
   b) en Espagne ;
   c) sous terre.
2. Qu'est-ce que Montsalvage ?
   a) un lieu de pèlerinage ;
   b) un château ;
   c) une grotte.

3. Que renferme Montsalvage ?

   a) le tombeau du Christ ;

   b) le Saint-Graal ;

   c) des cristaux précieux et lumineux.

4. Montsalvage est un endroit surveillé par qui ?

   a) des Templiers ;

   b) un Templier ;

   c) une jeune fille.

5. Qui est le Templier de Montsalvage ?

   a) le gardien du Saint-Graal ;

   b) le gardien du château ;

   c) le protecteur de la fille-chat.

6. Qu'arrive-t-il à la personne qui entre à Montsalvage ?

   a) Elle en ressort facilement.

   b) Elle peut mourir si elle ressort en n'ayant pas vu le Saint-Graal.

   c) Elle doit y demeurer si elle voit le Saint-Graal.

On peut être Templier ; peut-on être... « Templière » ?

La langue française possède deux genres : le masculin et le féminin. Pour un nom, il est parfois difficile de trouver son genre. Trouvez-le pour les mots ci-dessous.

Donnez le féminin.

ex : le moine   la moniale

a) le chat

b) le cheval

c) l'écuyer

d) l'écolier

Donnez le masculin.

e) basse

f) sombre

g) immortelle

h) majestueuse

Quelle langue ?

On ne parle pas comme on écrit, et inversement. Il existe un code oral et un code écrit. Dans les dialogues de l'histoire, vous avez trouvé des expressions et des termes familiers, même argotiques. Utilisez la banque pour retrouver en langue soignée l'équivalent des termes suivants.

BANQUE		
a) très riche	f)	on s'en moque
b) je me vengerai	g)	un hypocrite
c) regarde	h)	taisez-vous
d) prendre leur argent	i)	un flatteur
e) un imbécile		

1. vos gueules !
2. un faux-jeton
3. un lèche-bottes
4. un taré
5. on s'en fout
6. piquer leurs sous
7. vise un peu
8. plein aux as
9. je t'aurai

POUR PROLONGER LA LECTURE

Vêtements anachroniques

Faites correspondre le vêtement à son époque.

A.	le heaume	a)	1800
B.	le haubert	b)	50
C.	la crinoline	c)	1100
D.	la minu-jupe	d)	1080
E.	les braises	e)	1970
F.	le pantalon	f)	1856

Autour du Saint-Graal

Voici des personnages fictifs ou réels qui sont associés au Saint-Graal. Retrouvez qui va avec qui ?

A.	Lancelot du Lac	a)	Jean sans Terre
B.	Merlin l'Enchanteur	b)	Excalibur
C.	Robin des Bois	c)	Blanchefleur
D.	Ivanhoé	d)	La Reine Guenièvre
E.	Perceval	e)	Viviane
F.	Richard Cœur de Lion	f)	Le shérif de Nottingham
G.	Le roi Arthur	g)	Lady Rowena

AVANT LA LECTURE

Aimez-vous l'histoire ?

1. b ; 2. a ; 3. c ; 4. c ; 5. a ; 6. b ; 7. b ; 8. b

Feriez-vous un bon croisé et un bon Templier ?

Il fallait répondre « vrai » à tous les éléments pour faire un bon croisé et un bon Templier. Ils étaient des moines-soldats qui ne dédaignaient pas des avantages matériels.

Le destrier mystérieux

A.	le heaume	F.	l'épée
B.	le haubert	G.	les sabots
C.	une tunique blanche	H.	le mors
D.	le destrier	I.	les gourmettes
E.	la croix rouge		

Chassez l'intrus

a) les ténèbres ; b) la poule ; c) la braise ; d) le donjon ; e) une tresse ; f) un gisant

AU FIL DE LA LECTURE

Huit questions

1. a ; 2. b ; 3. a ; 4. c ; 5. a ; 6. a ; 7. b ; 8. a

Êtes-vous observateur ?

1. d ; 2. c ; 3. e ; 4. a

Mot mystère

Le MOT MYSTÈRE est donc IMMORTEL.

Montsalvage et les réponses de l'imagination
1. c ; 2. b ; 3. b ; 4. b ; 5. a ; 6. c

On peut être Templier ; peut-on être...
«Templière » ?
a) la chatte ; b) la jument ; c) l'écuyère ; d) l'écolière ;
e) bas ; f) sombre ; g) immortel ; h) majestueux

Quelle langue ?
1. h ; 2. g ; 3. i ; 4. e ; 5. f ; 6. d ; 7. c ; 8. a ; 9. b

POUR PROLONGER LA LECTURE

Vêtements anachroniques
A. d ; B. c ; C. f ; D. e ; E. b ; F. a

Autour du Saint-Graal ?
A. d ; B. e ; C. f ; D. g ; E. c ; F. a ; G. b

Dans la même collection

- Niveau facile
- Niveau intermédiaire